启动儿童乐园的超级计算机

[韩] 柳京善 著
[韩] 金美善 绘
邓淑珏 译

CSK 湖南科学技术出版社 · 长沙

登场人物

大家好！我是小学三年级的小民，今年九岁了。我最喜欢数学。

我是莉莉，今年六岁了，正在上小学一年级。我最喜欢将玩具进行整理分类。

小民

莉莉

我是住在程序王国的小骑士贝夫！我正在执行任务，保护王国免受病毒侵害。

小骑士贝夫

我是程序王国的“控制”国王，我的任务是和平地治理王国。

我是“输入”公主，负责接收宫殿和王国的重要事务。

“输入”公主

“控制”国王

我是设计儿童乐园游乐设施的博士，负责管理游乐设施。

我是儿童乐园的守护者，我叫泰普斯，负责儿童乐园的安全工作。

博士

泰普斯

我是罗伊，旁边是我弟弟罗亚。我们是蠕虫病毒王国的兄弟。我们的目标是从程序王国窃取和控制信息。

蠕虫病毒罗伊和罗亚兄弟

上册回顾

小·民和莉莉在使用笔记本电脑时，突然被程序世界吸了进去！

他们在程序王国遇到了小·骑士贝夫。

程序王国受到蠕虫病毒的侵袭，国王生病了。

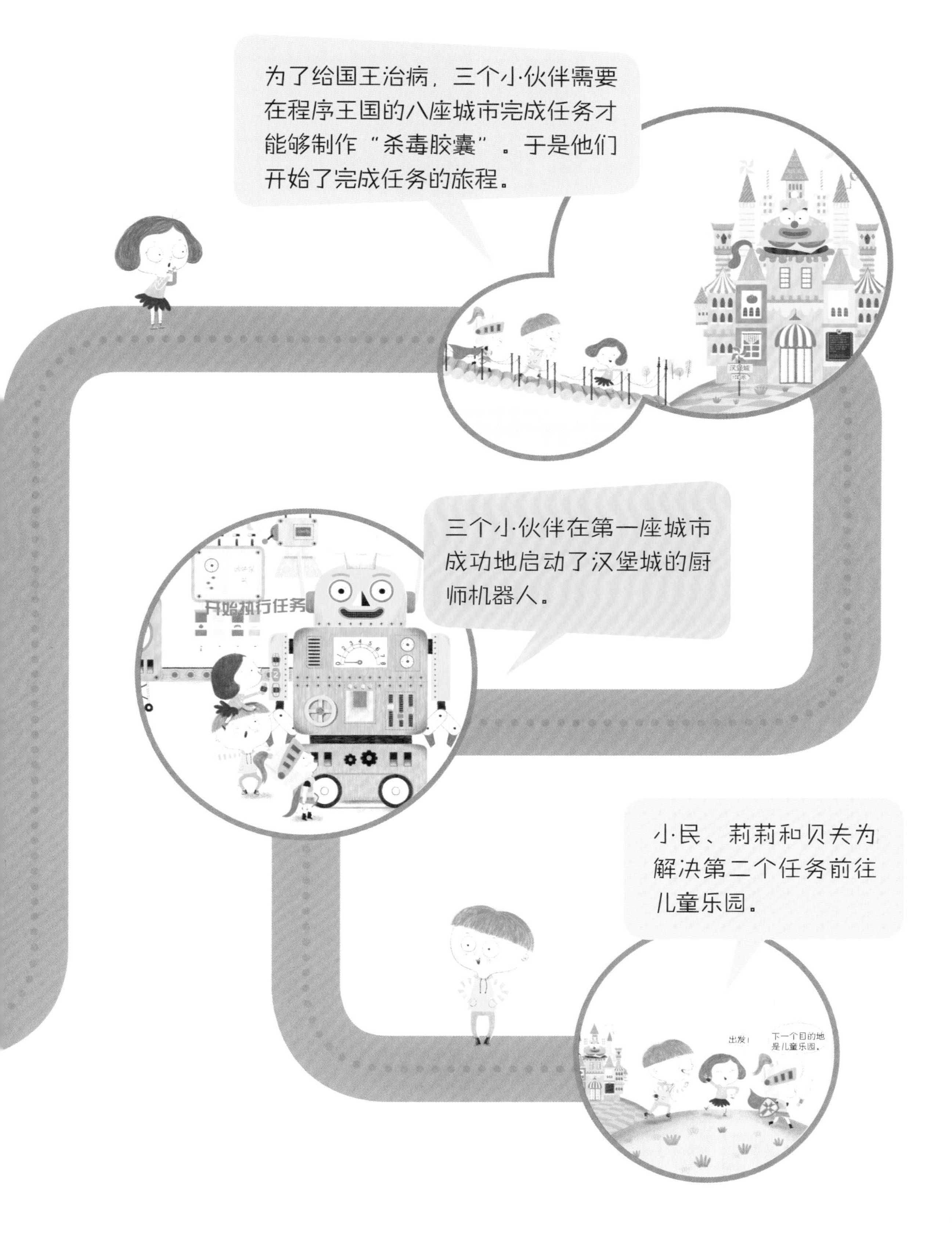
为了给国王治病，三个小伙伴需要在程序王国的八座城市完成任务才能够制作“杀毒胶囊”。于是他们开始了完成任务的旅程。
汉堡城
三个小伙伴在第一座城市成功地启动了汉堡城的厨师机器人。
开始执行任务
小民、莉莉和贝夫为解决第二个任务前往儿童乐园。
出发！
下一个目的地是儿童乐园。

程序王国

蠕虫病毒王国
7
5
4
3
N
W
E
S

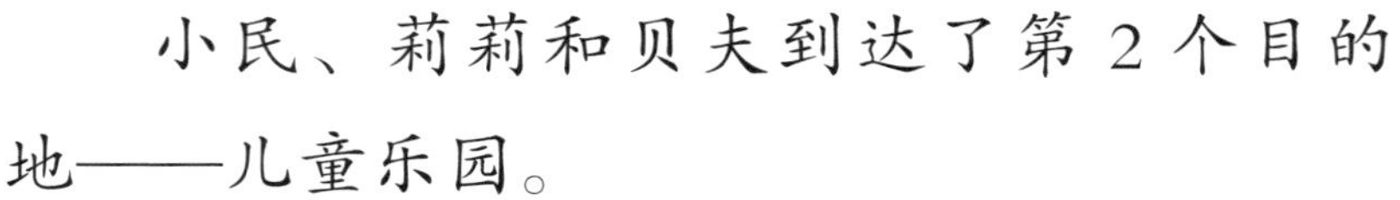

小民、莉莉和贝夫到达了第 2 个目的地——儿童乐园。

如果完成任务，他们就能够获得第 2 颗珠子。

他们走进了儿童乐园。

究竟有什么任务在等待着他们呢？

海盗船
售票处
儿童乐园
入口

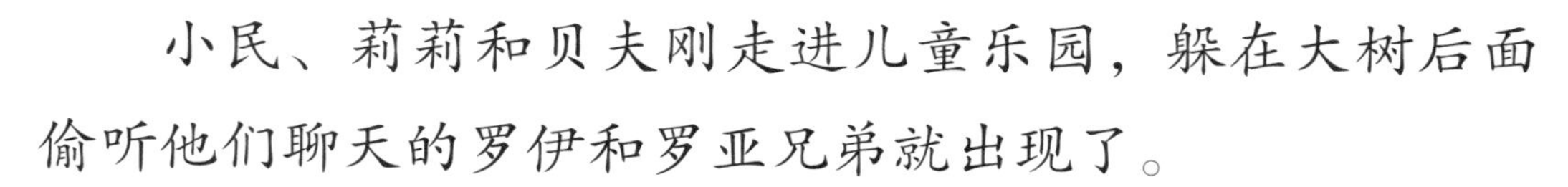

小民、莉莉和贝夫刚走进儿童乐园，躲在大树后面偷听他们聊天的罗伊和罗亚兄弟就出现了。

蠕虫病毒兄弟罗伊和罗亚好像正在策划事情。

“听说他们完成了汉堡城的任务？原来是一群小家伙啊？”

“别担心，罗亚。按照我们的计划，这次任务他们是完成不了的。”

罗伊和罗亚“哧哧”地笑着，跟在后面。

售票处
儿童乐园
入口
儿童乐园收费标准
分类 成人 青少年 儿童
入场券 110元 88元 77元
通票 192元 170元 154元

小民和莉莉一看到可爱的物品和有趣的游乐设施，就开心起来了。

但是贝夫却眉头紧锁。

小民和莉莉看到贝夫的表情也不由地跟着紧张起来。

“朋友们，你们不觉得有点奇怪吗？”贝夫疑惑地说。

“除了我们之外没有其他人。玩具店里没有店员，也没有人乘坐游乐设施。”

听了这番话，小民和莉莉看了看周围。

确实，儿童乐园里没有其他人，游乐设施也静止在那儿。

突然，小民、莉莉和贝夫手腕上的任务手表屏幕闪烁起来，上面出现了同一条信息：

“有任务！请前往儿童乐园城堡。”

“朋友们，任务手表上显示了信息！”

听了贝夫的话，小民点了点头说：

“咱们快点去儿童乐园城堡吧。”

三个人按照任务手表的指示前往儿童乐园城堡。

儿童乐园城堡离儿童乐园正门非常近。

小民、莉莉和贝夫到达城堡后，看了看四周。

突然，莉莉指着入口方向大喊：

“那边好像有人来了。”

小民和贝夫听到莉莉的喊声，猛地抬起头。

只见入口方向有一个穿着制服的人气喘吁吁地跑了过来。

从入口处跑过来的人看到了贝夫胳膊上的任务手表后，说：

“你们是来完成任务的吧？我是儿童乐园的守护者泰普斯。”

贝夫点了点头，说：

“是的，我们是收到了任务手表上的信息后过来的。”

“儿童乐园里发生了什么事情吗？为什么一个人都没有呢？”莉莉紧接着问道。

泰普斯叹了口气。

“这个儿童乐园需要启动超级计算机[1]才能够运转，但不久前，超级计算机坏了，好像是蠕虫病毒干的。超级计算机出故障后，游乐设施也动不了了，所以这里就没有游客了。”

1 超级计算机：指能够处理一般个人电脑无法处理的大量数据，并进行高速运算的电脑。

听完泰普斯的介绍，小民紧接着说：

“那修理好超级计算机不就可以了吗？！”

泰普斯用忧郁的声音回答道：

“那个……只有博士才能够修理超级计算机，但博士现在被关在过山车的操作室里。哎，为什么他偏偏在那时候去修理过山车啊？”

“居然把博士都关起来了，一定是坏蛋蠕虫病毒干的！那怎么办呢？”

贝夫气愤地问。

泰普斯回答：

“只有博士才可以修理超级计算机，请你们救救博士。如果救出博士，我就给你们任务珠子！因为我要守护乐园，所以不能和你们一块儿去了。”

小民和莉莉斩钉截铁地回答：

“只要把博士带回来就可以，是吗？我们可以做到。”

“汉堡城的任务我们不是也解决了吗？一定没问题。”

“不会就这样让你们得逞的！”

突然，不知从哪儿传来邪恶的声音。

罗伊和罗亚出现了！

泰普斯大喊起来：

“小心！是蠕虫病毒兄弟——罗伊和罗亚。就是他们把超级计算机给弄坏的。”

贝夫也认出了罗伊和罗亚，点了点头。

“是的。我也知道。小民，莉莉！小心！这是两个坏家伙。绑架公主的事也是他们干的。”

罗伊和罗亚“咯咯”地笑着说：

“任务珠子是我们的！你们的超级计算机没办法修好了，因为博士已被我们绑架！接受我们的烟雾弹吧！”

罗伊和罗亚扔出了烟雾弹，一瞬间，周围被浓浓的烟雾笼罩了。

过了一会儿，烟雾消失了，但罗伊和罗亚已经逃跑了。

“蠕虫病毒兄弟逃跑了！”

小民急忙大喊一声，贝夫赶紧点点头说：

“我们得快点追上去。”

“等一下！我有个东西给大家。”

泰普斯叫住准备追赶蠕虫病毒兄弟的三人，拿出了儿童乐园的地图芯片。

“因为担心大家可能会迷路，所以请带上地图。通过方框的个数就可以知道距离的远近。”

“对了，还有一个东西要给你们。”

泰普斯走近贝夫，递给他一瓶喷雾。

“这是蠕虫病毒最讨厌的消毒喷雾。对着蠕虫病毒喷这个喷雾，蠕虫病毒就会暂时昏迷，你们遇到危险的时候可以使用它。我就在城堡里等大家的好消息了。”

“谢谢。我们一定会好好使用的！”

接着，小民、莉莉和贝夫告别了泰普斯。

海盗船

要想去过山车那里，必须经过海盗船、摩天轮或野生动物园中的一个。

时间不多了，小民他们决定各选一条路前往过山车。

当前位置

儿童乐园

旋转木马

摩天轮

到达
过山车

动物园
野生动物园

我选海盗船，看起来离这里最近。

贝夫到达海盗船时，前方出现了两条路。

左边的路经过旋转木马，右边的路经过摩天轮。

该选哪条路呢？贝夫想起了泰普斯说的话，于是打开任务手表里的地图。

贝夫数了数地图中方框的个数，发现经过摩天轮再前往旋转木马的路径，要比直接前往旋转木马的路径更短。

“经过摩天轮的路径更短。快点行动起来！”

当贝夫自信地迈开前行的脚步时，任务手表的屏幕闪烁了一下，好像是在肯定贝夫的选择。

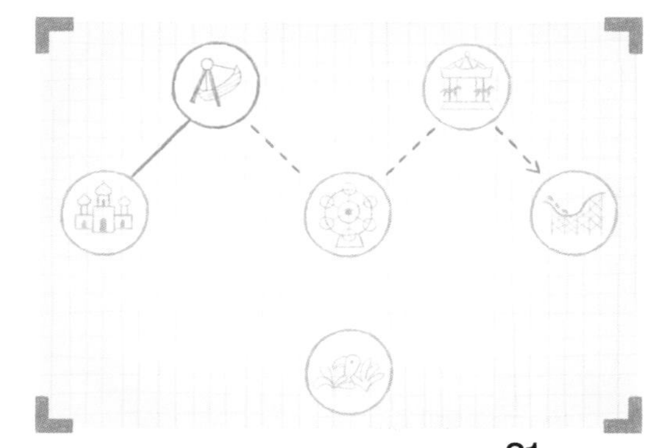

贝夫一边走一边数着地图中方框的个数。
他穿过摩天轮，到达旋转木马。
现在只需再走一点距离就可以到达过山车了。
从这里可以看到不远处的过山车。

贝夫的心“扑通扑通”地跳了起来。他想：

“是过山车！但是小民和莉莉到哪里了呢？”

贝夫还没有看到小民和莉莉的身影。于是他紧紧地揣着手中的消毒喷雾，独自朝着过山车的方向出发了。

6
5

到达摩天轮的小民面前也出现了两条路，应该走哪条呢？

小民打开了任务手表中的地图。

左边是经过旋转木马的路，右边是直接前往过山车的路。

小民想了想，最终选择了直接前往过山车的路。

野生动物园

当贝夫和小民已经在前往过山车的路途中时，莉莉正从第一个目的地野生动物园前经过。

因为走得很着急，她的额头上满是汗珠。

“经过野生动物园的路径应该最短吧？只需要经过一个游乐设施就可以到达过山车，都没有必要看地图。”

莉莉汗流浃背地走着，看起来根本不想看地图。

当三个小伙伴拼命地赶往过山车时，罗伊和罗亚已经到达过山车。

兄弟俩试图带走博士，但是他们无法做到，因为操作室的门被密码锁锁上了。

“嘿，博士！你知道密码是什么吗？”

罗伊对着被困在操作室里的博士大声地问。

博士愤怒地说：

“只有戴着任务手表的人才能知道这道门的密码。你们这些坏家伙一辈子都别想知道。”

罗伊和罗亚听了博士的话后，掏出了炸弹。

“如果你不告诉我们，我们就引爆炸弹！”

“住手！”

正在这时，最先到达过山车的贝夫大喊了一声。

“你们在对博士做什么？”

他走到拿着炸弹的罗伊和罗亚旁边，对着他们喷起了消毒喷雾。

“啊！这是什么！”

“是消毒喷雾！不……不！”

贝夫喷了消毒喷雾后，罗伊和罗亚立马晕过去了。

修理中

这时，小民和莉莉也赶到了过山车。

“贝夫，你还好吗？没有受伤吧？”

面对小民的担心，贝夫回答道：

“我没事！咱们先救出博士吧，没时间了。”

小民拉了拉驾驶室的门，却打不开。

在操作室里的博士说：

“孩子们，将任务手表靠近密码锁。”

三个人按照博士说的话做了，这时任务手表开始发出亮光。

“任务手表上有密码提示！”

“最短的路径？那是什么呢？”

突然，贝夫拿出地图说：

“我好像知道了。”

任务是什么？

在解开密码之前，让我们整理一下到目前为止所发生的事情吧。

请在下面的框中逐一写出来。

答案可参考第 19 页、第 21 页。

在哪里？

什么时候？

谁？

小民、莉莉、贝夫。

为什么？

怎么办？

做什么？

博士需要修理好出故障的超级计算机。

那么这次的任务应该如何解决呢？

写在下列框中吧。

没有标准答案！请参考第 42～43 页，看看解决问题的方法是什么。

完成儿童乐园的任务

问题是什么？

任务是什么？

寻找最短路径。

一起来编程吧。

我们身边的“寻路算法”。

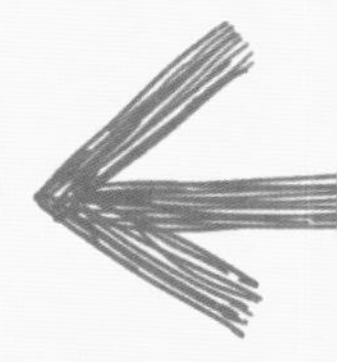

想一想解决问题的方法。

查找地图中的信息。

整理地图中的数据。

哪条路径最短?

制定算法。

拜托计算机。

距离容器。

没有更短的路径吗?

寻找最短路径

要想找到最短的路径，首先需要了解有什么路径。

参考儿童乐园的地图，我们可以查找到从儿童乐园城堡到过山车的所有路径。

试着在下面的地图上画线。

但是，已经走过一次的游乐设施不能再次经过！

提示：挡住第49页，在两个地点之间直接画线。

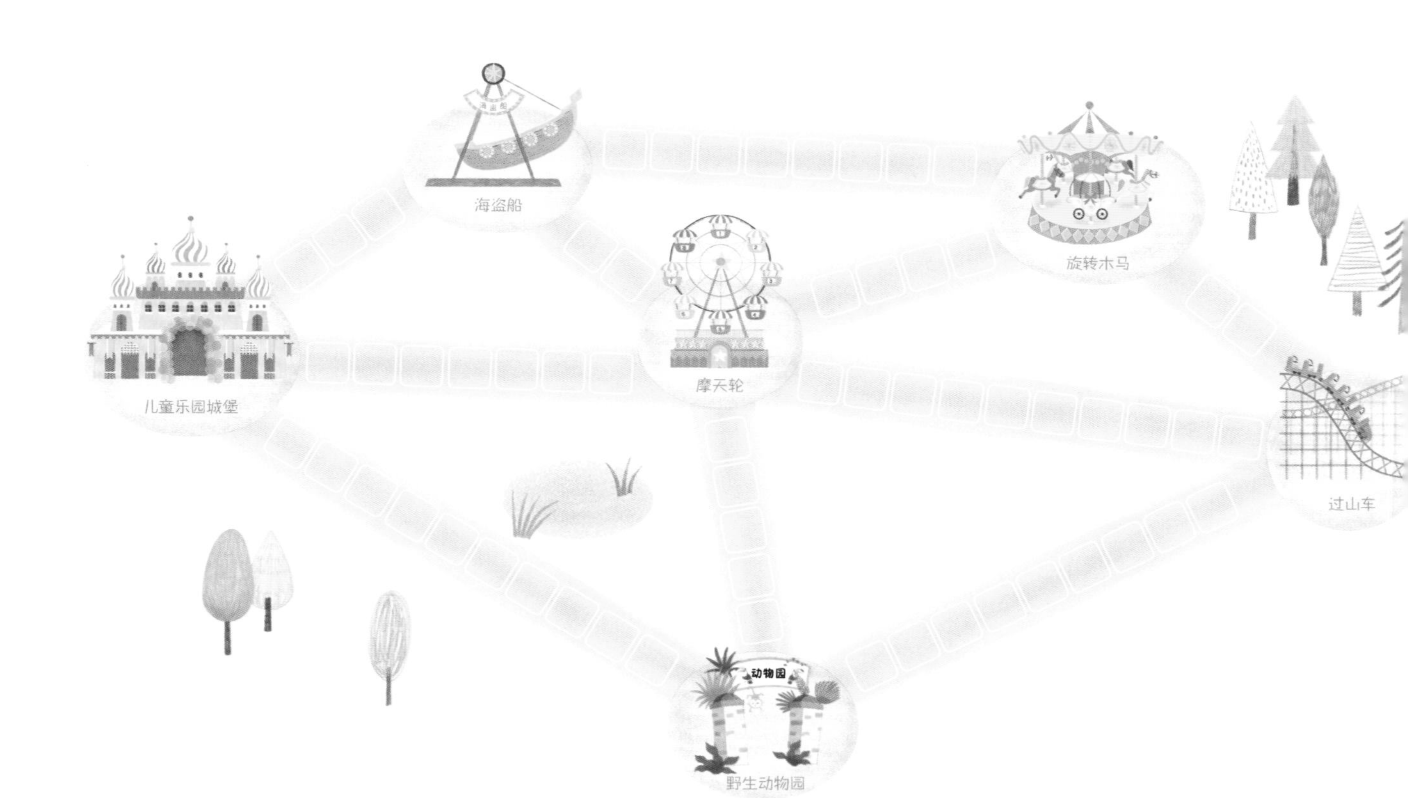

情况数和算法

所谓“情况数”是指可以发生某件事情或某种情况的可能性。你是否找到了从儿童乐园城堡到过山车的所有路径呢？当路径变得更加复杂时，该如何寻找呢？这时候需要的就是计算机的“寻路算法”。在地图上搜索路线时使用到的就是该算法。

查找地图中的信息

我们在前面已经找到了从儿童乐园城堡到过山车的所有路径。

一共有 14 条。

现在就来找一找其中最短的一条路径吧。

不难，地图里有线索。

泰普斯不是说了——“通过方框的个数就可以知道距离的远近”。

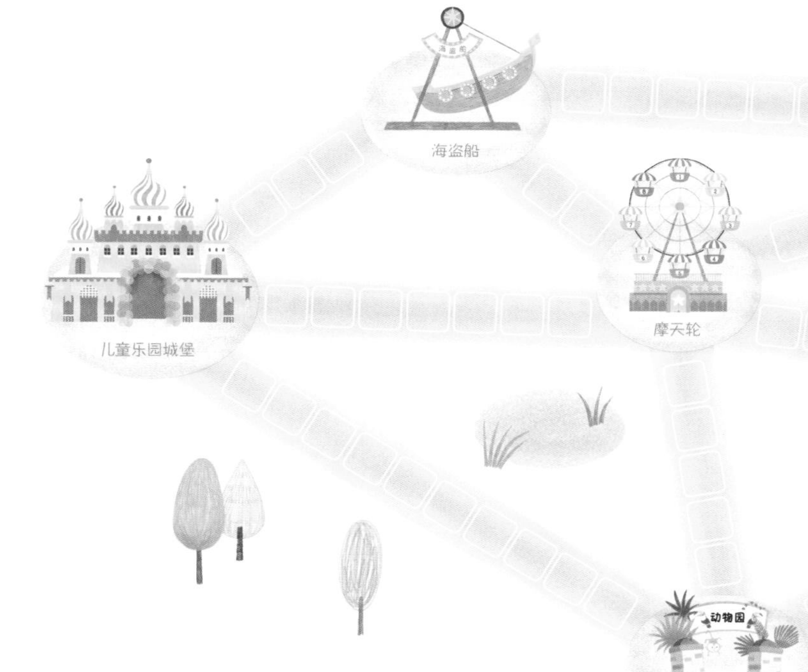

观察上页的地图，在下面的空格里写下正确答案。

从儿童乐园城堡到海盗船的方框有 ______ 个。

从儿童乐园城堡到摩天轮的方框有 ______ 个。

从儿童乐园城堡到野生动物园的方框有 ______ 个。

数一数方框数量就能准确地知道距离，对吧？

儿童乐园地图上的“方框个数”表示“距离”。

把“方框个数”这个词换成“距离”怎么样呢？

在下面的空格里写下正确答案。

从儿童乐园城堡到海盗船的距离是 ______。

从儿童乐园城堡到摩天轮的距离是 ______。

从儿童乐园城堡到野生动物园的距离是 ______。

整理地图中的数据

如果地图里的路径比现在更多，那么可以走的方式也就变得更多、更复杂吧？这时使用计算机就可以轻松地找到需要查找的路径。

现在就将方法告诉大家。

首先我们一起整理地图中的数据吧。

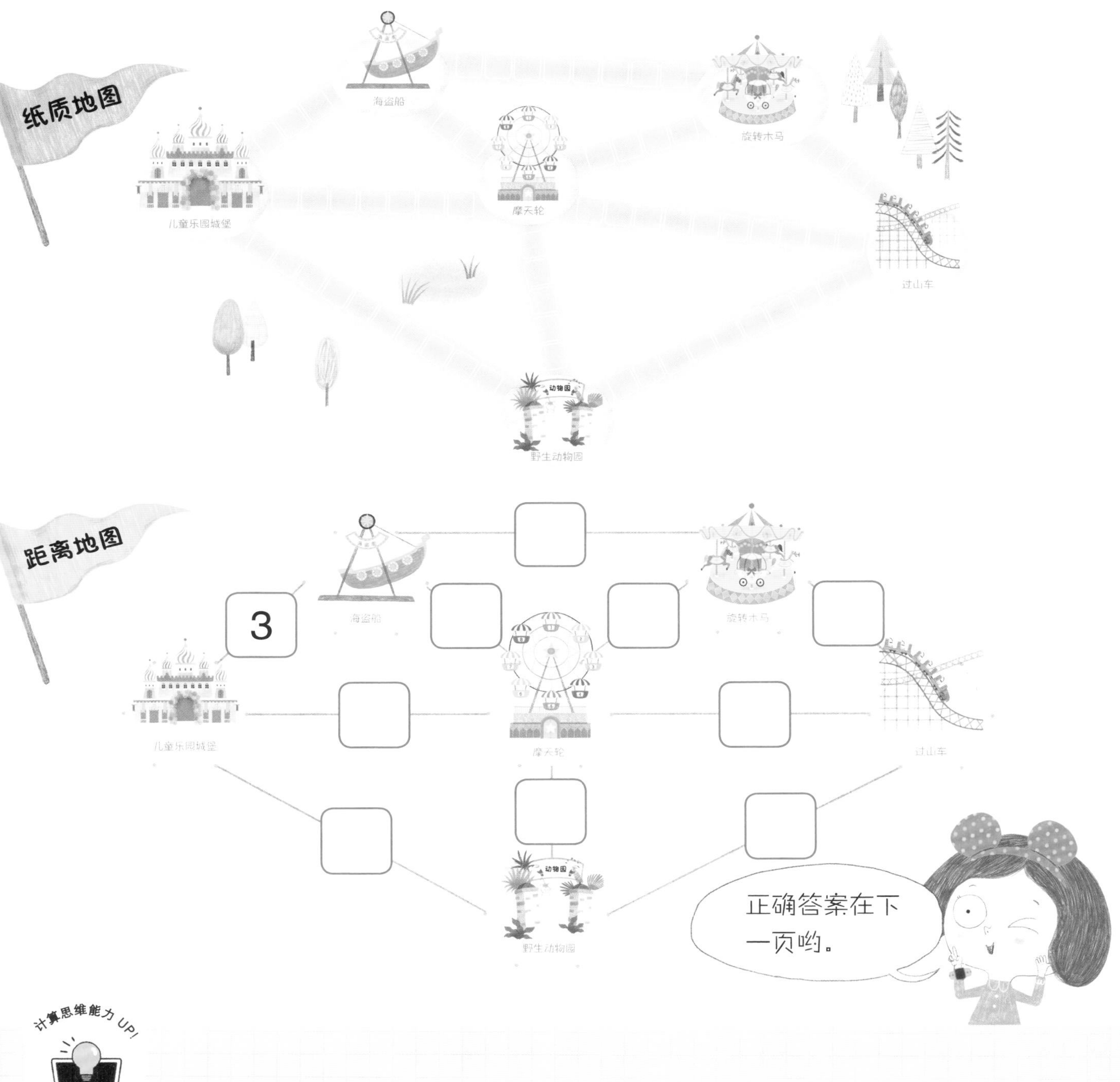

计算思维能力 UP!

图论的应用

计算机中使用点（或圆）和线简单表示信息的方法，是应用了数学中的图论方法。通过简单的图来表示复杂信息有助于直观地了解信息。最常见的应用图论方法的案例就是在最短路径算法中使用图来代替地图。如果进一步简化上述距离地图，就变成了一个简单图。

哪条路径最短？

还记得小民、莉莉和贝夫各选择了一条路径吗？现在让我们来看看他们三个人选择的路径中，哪一条路径最短？

游乐设施之间的距离数字越小，则路径越短。

让我们再来看一看之前整理过的距离地图吧。

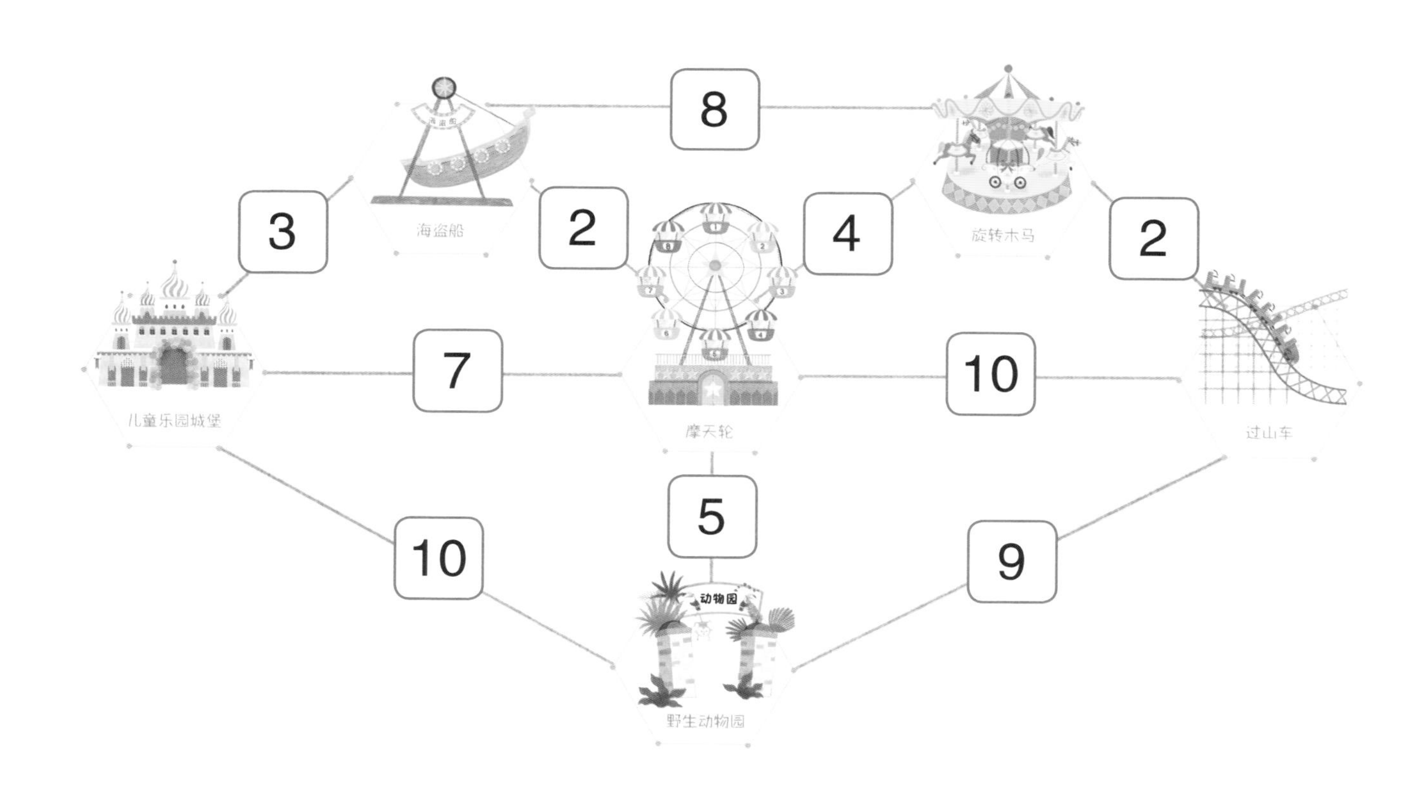

将小民、莉莉和贝夫走过的路径一一进行比较。

拜托计算机

这次轮到计算机查找路径了。

我们将到目前为止所学过的内容整理为流程图。

观察流程图，完成最后一个盒子里的内容。

用圆和线简单地表示地图

查找去游乐设施的路径

确认游乐设施之间的距离

距离求和

将小民、莉莉和贝夫选择的"距离和"进行比较

选择距离和最小的路径

用最短路径算法查找最短的路径

在连接图表两个顶点的路径中，找到最短路径的过程称为“最短路径算法”。路径数量少的情况下可以直接计算，但路径数量多时就很难进行直接计算了。对于这种情况，最短路径算法非常实用。这种算法的思想可以概括为：选择自己认为在当前情况下的最佳路径，然后在剩余路径中挑选最佳路径，再将两条路径进行比较后最终确认最短路径。我们从儿童乐园地图上已经学习了最短路径算法的思想。两个顶点分别是儿童乐园城堡和过山车，最短的路径是贝夫选择的路径！

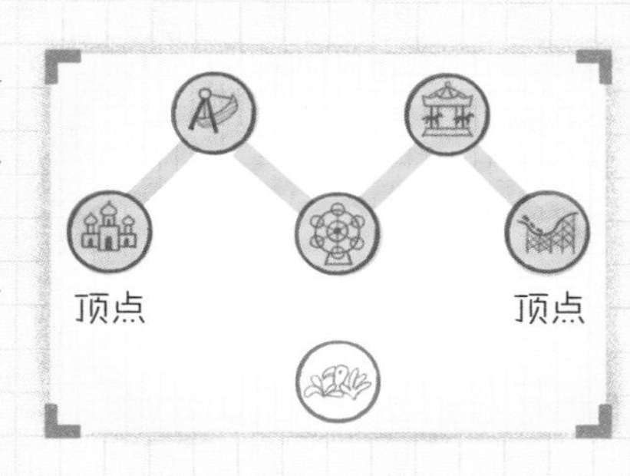

距离容器

这次使用计算机来比较距离和。

我们把地图上的方框想象成方糖。

现在往透明的容器里放方糖吧。

因为不知道是谁走的路径，所以我们分别用名字来区分。

数一数容器里方糖的块数，分别是 17 块、19 块、11 块，我们经过的距离和就是方糖块数，在容器旁写上对应的名字吧。

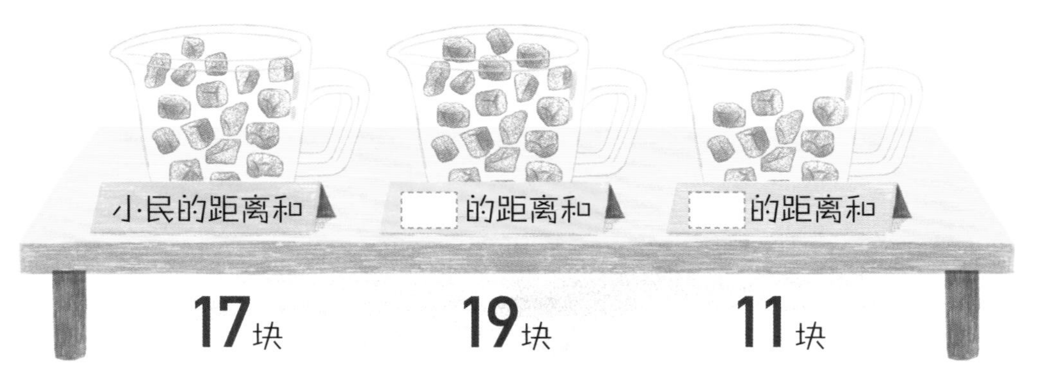

如果比较方糖的重量，好像更容易比较出方糖数少的容器。

嗯，使用天平秤就好了。

使用天平秤就可以知道两端的重量是一样的，还是其中一端更重。把物品放置在平衡秤的两端，秤沉下去的一端就是更重的一端。

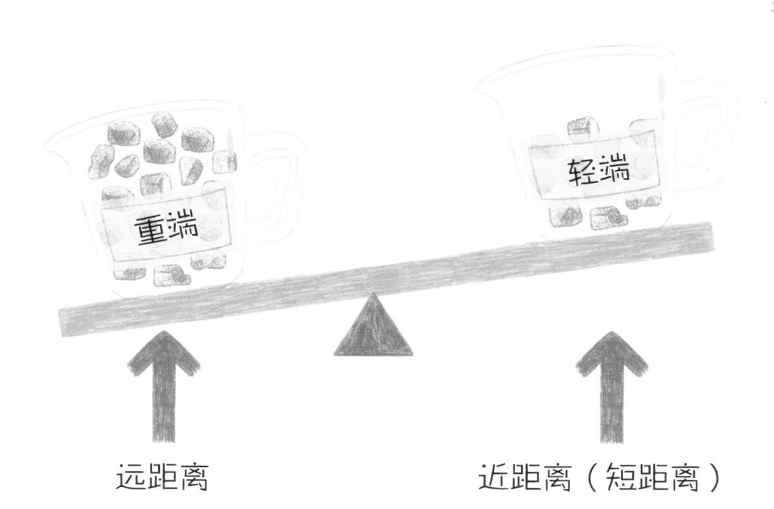

那么我们来比较一下“小民的距离和”容器和“莉莉的距离和”容器的重量吧。

“小民的距离和”容器里有17块方糖，“莉莉的距离和”容器里有19块方糖。“小民的距离和”容器里的方糖块数更少！

我们把“小民的距离和”容器保留下来，再把“贝夫的距离和”容器放在天平秤的另一端。

相信不用特别说明大家也可以马上知道答案吧？

“小民的距离和”容器比“贝夫的距离和”容器重，最轻的是“贝夫的距离和”容器。

变量和关系运算符

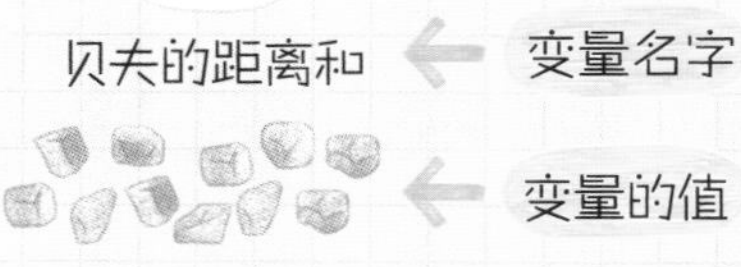

计算机中有许多可以存储时间、分数、姓名等特定输入值的“容器”，这种“容器”称为变量。但就像一个人只能占据一个房间的道理，变量每次只能存储一个特定值。根据指令，变量可以删除，也可以重命名。

10 = 10

11 > 9

7 < 10

此外，在比较变量时会使用“关系运算符”。就像在数学中比较两个或两个以上的数时，通常使用等号和不等号一样，编程时也同样如此。我们称这些在比较特定值时使用的符号为“关系运算符”。和数学中使用的等号和不等号一样，计算机中关系运算符用于区分根据结果运行的指令块。

没有更短的路径吗？

从儿童乐园城堡到过山车的路径有很多。会不会还有比小民、莉莉和贝夫选择的路径更短的呢？

有一个确认的方法！

你们之前看见过这个距离地图吧？

我们再来仔细地观察一下。

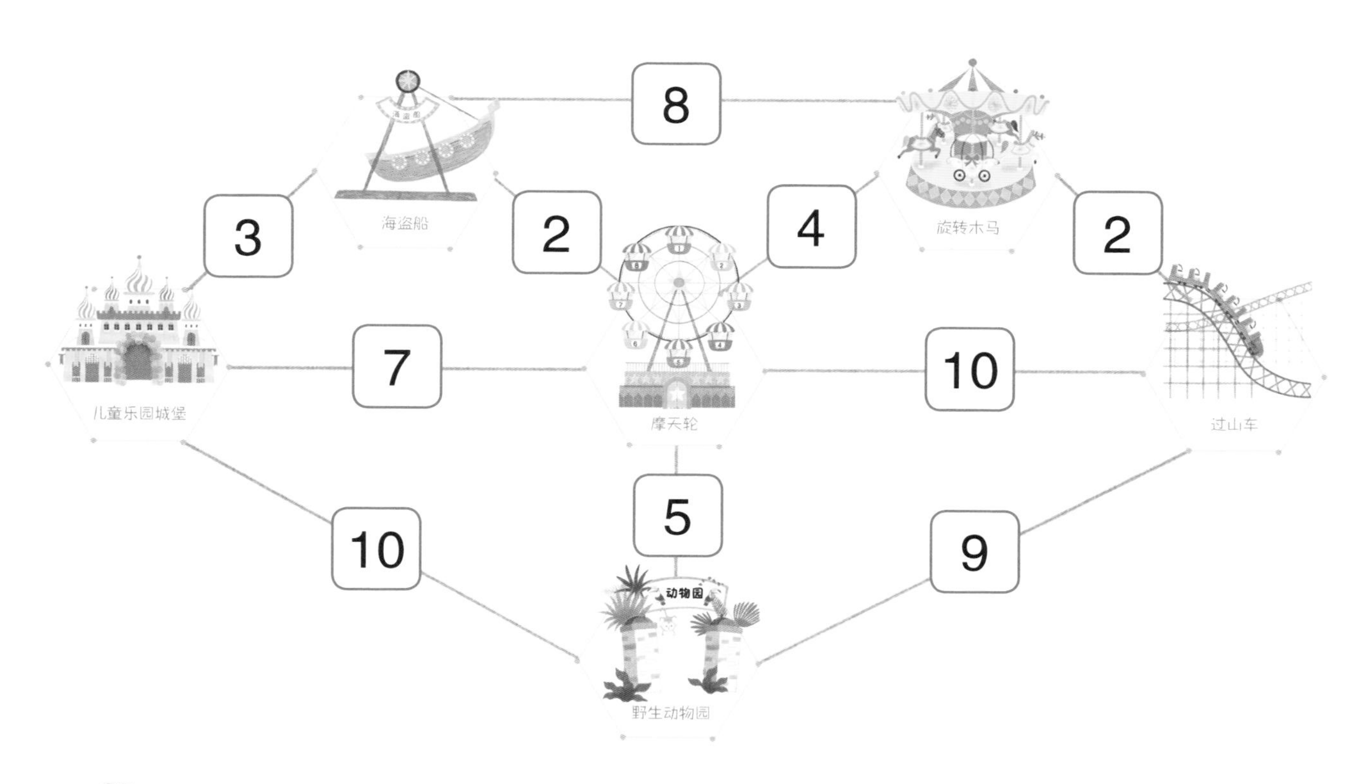

离儿童乐园城堡最近的游乐设施是哪一个呢？

是海盗船。

我们在地图上找一找海盗船的位置。

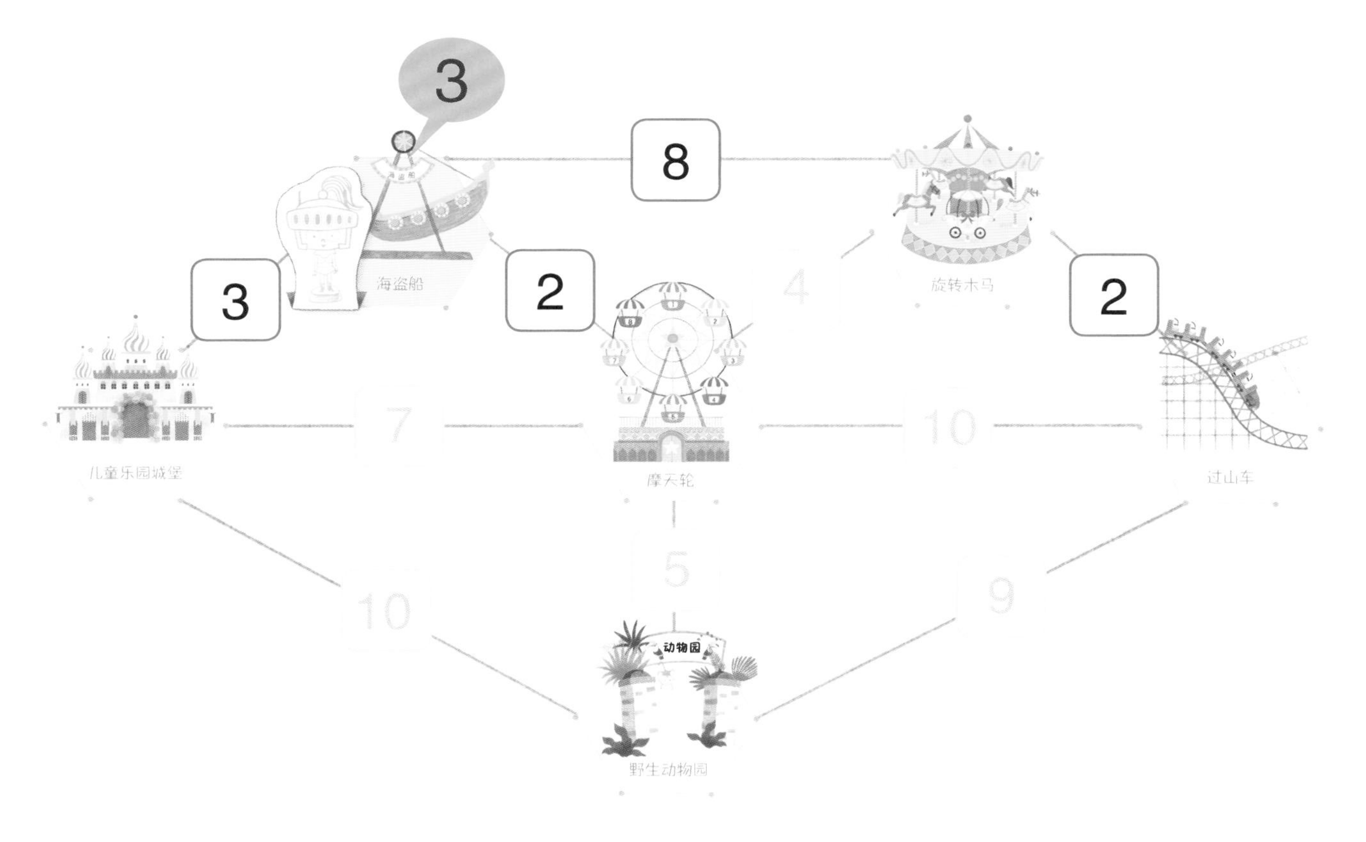

到达海盗船后应该往哪条路走呢？

去往摩天轮的路径距离是 2，去往旋转木马的路径距离是 8。

啊！这样看来摩天轮更近。

从儿童乐园城堡到摩天轮的距离是 7，经过海盗船去摩天轮的距离是 5 吧？

也就是说，经过海盗船到摩天轮是最短的路径！

到达摩天轮后应该往哪条路走呢？

从摩天轮去往旋转木马的路径距离是 4，去往过山车的路径距离是 10。

这样看来从摩天轮去旋转木马更近。

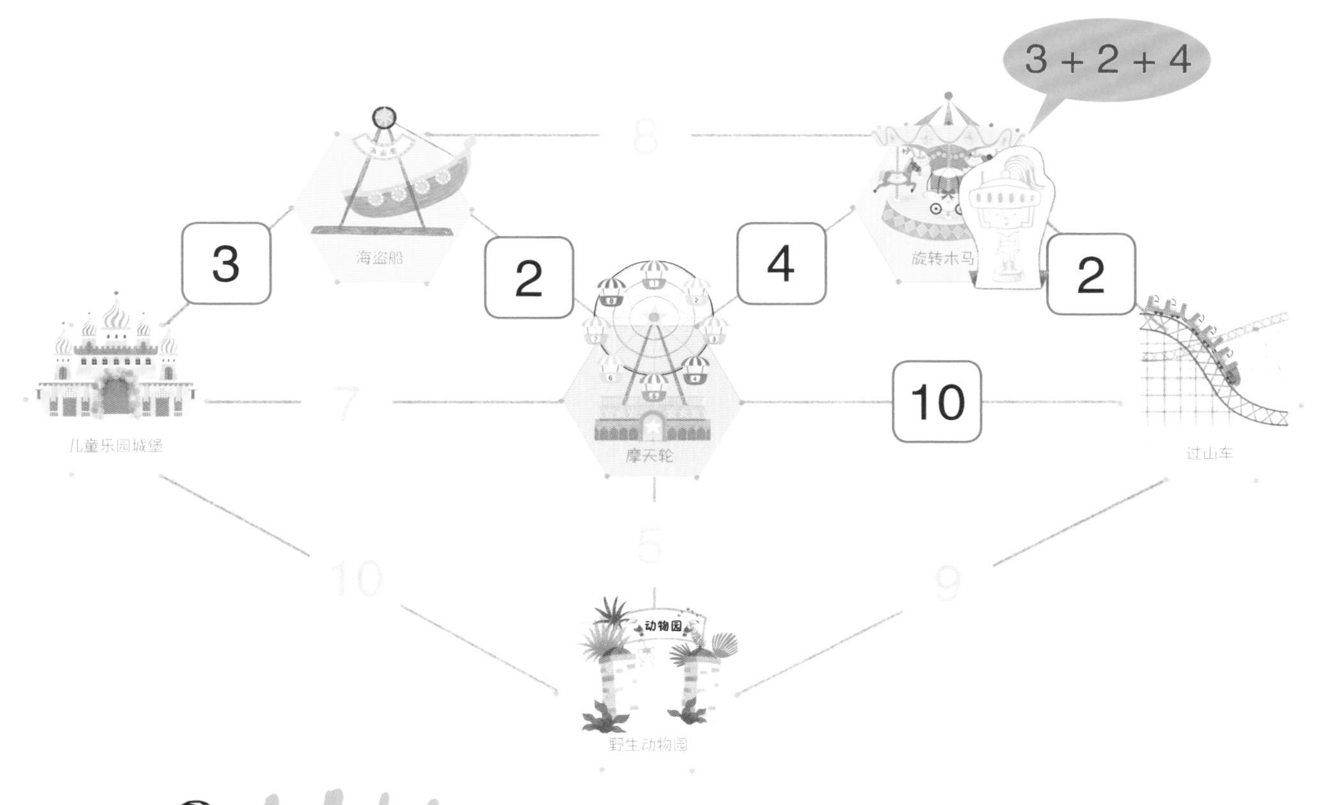

不知不觉就到了旋转木马。现在去往过山车的路径只有一条了，是不是感觉到达的速度很快呢？

请在地图上标出到目前为止所找到的所有路径。

把从儿童乐园城堡到过山车的最短路径用彩色笔涂一涂。

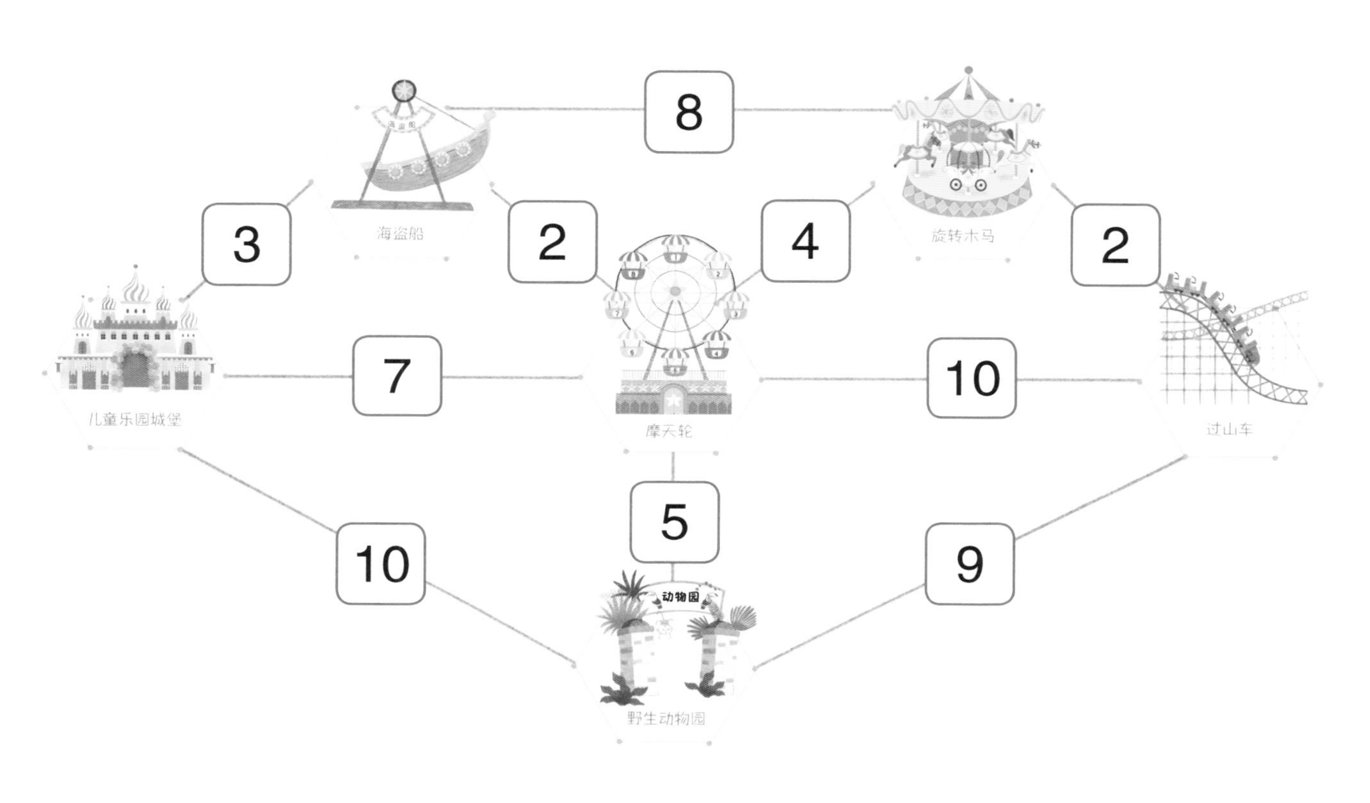

经过所有地点的距离和是多少呢？

把 3、2、4、2 加起来就知道了，答案就是 11！

快速寻路的代名词=迪杰斯特拉算法（Dijkstra算法）

在该环节中，出现了之前简化成图表的距离地图。贝夫在距离地图上找从儿童乐园到过山车的最短路径时所使用的算法，被称为“迪杰斯特拉算法”。它是解决最短路径问题中最具代表性的算法，还可应用于寻找最少时间花费的最快路径等各种问题。该算法作为快速寻路的基本算法，被广泛运用于导航系统中。

迪杰斯特拉算法是荷兰计算机科学家迪杰斯特拉提出的。迪杰斯特拉 1930 年生于荷兰鹿特丹，为计算机学科的奠基和发展做出了巨大贡献。是“计算机领域先驱者”之一。他于 1972 年获得图灵奖。

迪杰斯特拉

我们身边的寻路算法

“寻路算法”在我们的生活中应用很广，最典型的是导航软件中的路线导航。导航软件可以很轻松地找到最短路径就是利用了这个算法。

路线导航

在导航软件的路线搜索页面中输入起点和终点，导航软件会利用“寻路算法”计算起点到终点的多条路线的距离，从而找到最短的路径。

我们在使用导航软件时，可以根据自己的需要选择“交通工具”，比如选择“驾车”“公交”“步行”或“骑行”等方式，这样就能够找到相应方式中最短的路径了。

百度地图的快速寻路服务

计算思维能力UP!

迪杰斯特拉算法的应用

迪杰斯特拉算法的典型应用就是路线导航。此外，迪杰斯特拉算法还可用于解谜，如魔方或迷宫问题等。

小民、莉莉和贝夫终于知道了密码。

密码是从儿童乐园城堡到过山车的最短路径，也就是贝夫走过的路径。

贝夫用手指出自己来时的路。

“从儿童乐园城堡到海盗船的距离是3，从海盗船到摩天轮的距离是2，从摩天轮到旋转木马的距离是4，从旋转木马到过山车的距离是2，每一段距离数都排列出来的话……”

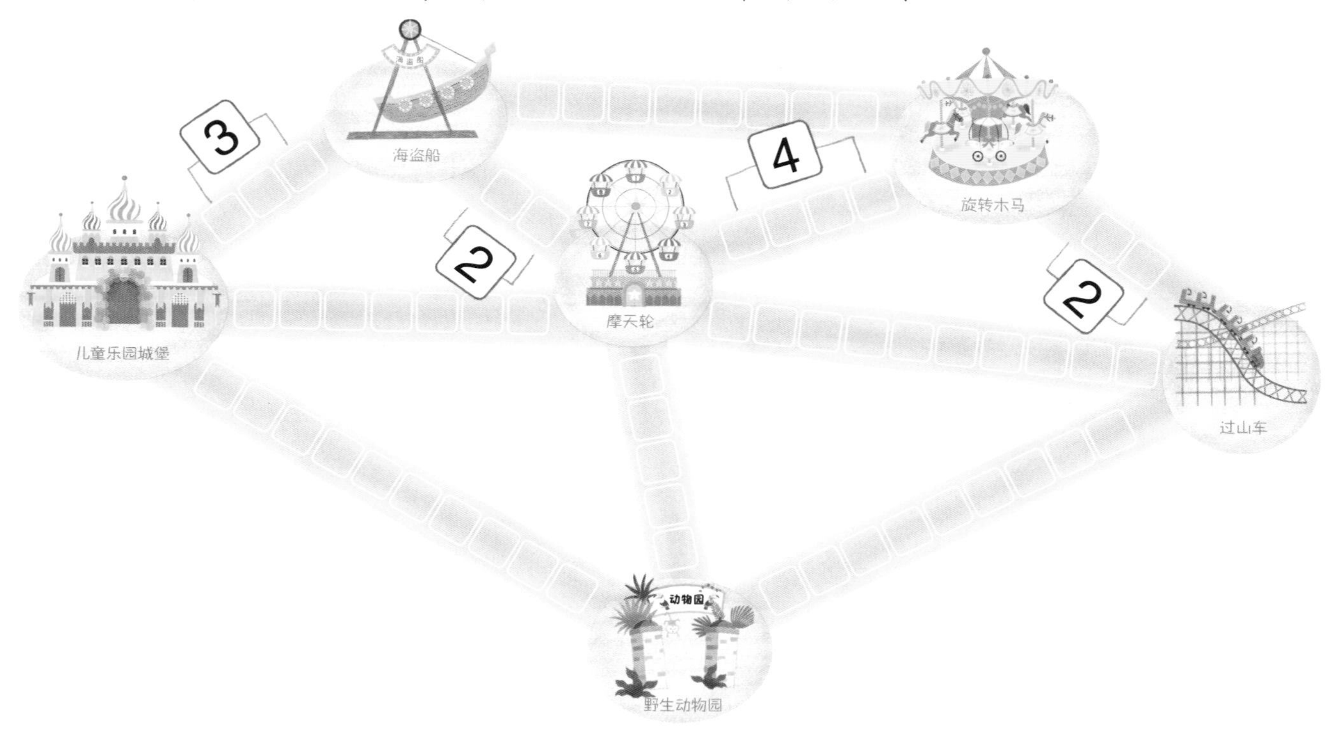

贝夫话音刚落，小民和莉莉同时喊了起来：

“3 2 4 2！”

小民马上在门锁上开始输入。

他按顺序输入“3 2 4 2”后，“咔嚓”一声门开了！

成功了！！！

小民、莉莉和贝夫在蠕虫病毒兄弟醒来之前救出了博士。

“真的很感谢你们救了我。”

博士向大家打了招呼，贝夫笑着回答：

“幸好您没事，博士。请赶紧修理好超级计算机吧。”

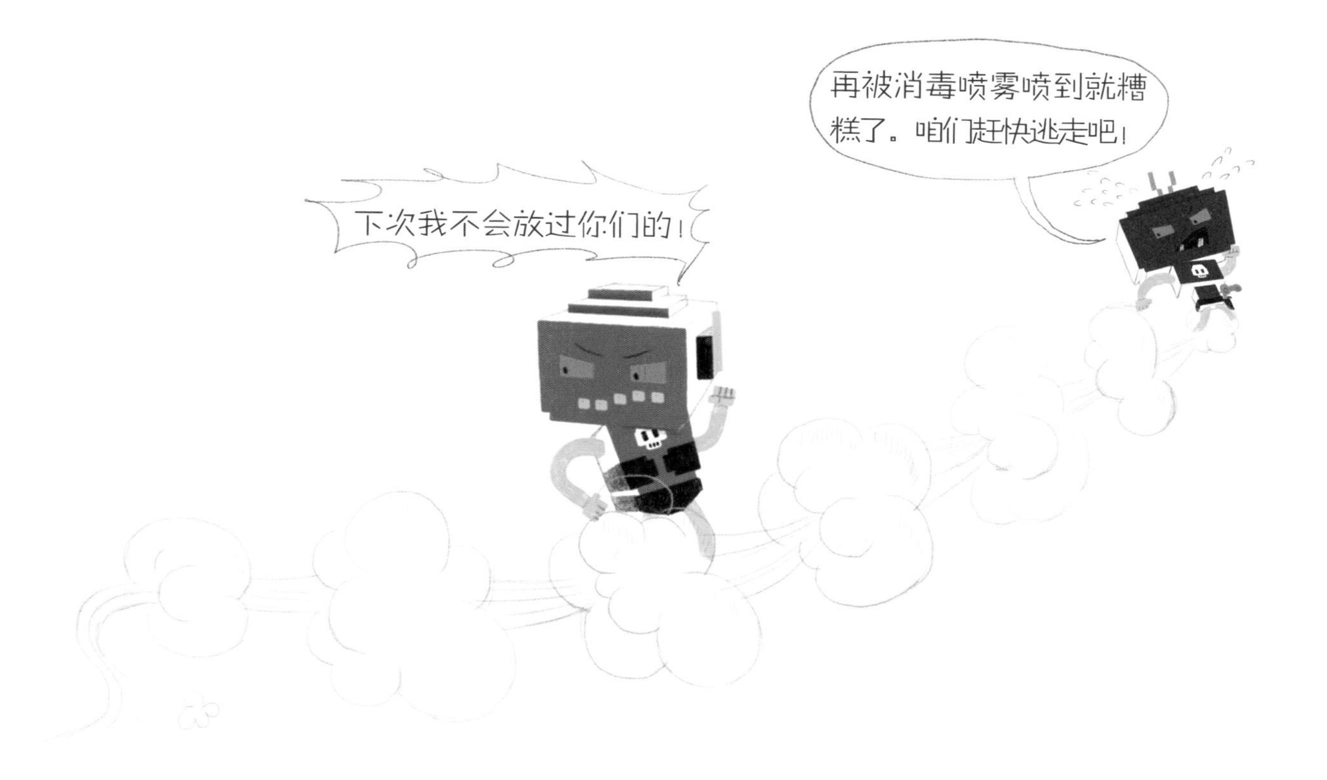

突然，小民发现了正在逃跑的罗伊和罗亚。

“啊！罗伊和罗亚正在逃跑！”

小民、莉莉和贝夫跟着博士一起回到了儿童乐园城堡。

博士很快就修理好了超级计算机。

儿童乐园城堡又恢复了往日的活力，到处响起了欢快的音乐，原本一动不动的游乐设施也再次启动了。

“感谢大家救出了博士。多亏了你们，才能修理好超级计算机。这是之前答应给你们的任务珠子。”

“我们获得了第 2 颗珠子！我们现在要去寻找第 3 颗珠子，对吧？”

贝夫点了点头，说道：

“嗯，接下来我们要去的地方是古代遗址！”

听到这句话的泰普斯说：

“原来要去古代遗址啊？听说那里也发生了一些事情。祝大家好运！”

成功完成儿童乐园任务的小民、莉莉和贝夫，在古代遗址中又会接到什么任务呢？

敬请期待第3册！

设计汉堡城的厨师机器人

小民和莉莉突然被吸进程序王国！他们和骑士贝夫一起冒险拯救陷入危险的程序王国。只有完成八座城市的任务，才能拯救程序王国。小民、莉莉和贝夫如何在汉堡城完成第一个任务呢？

寻找古代神像的密码宝石

第三个任务地点是古代遗址！阿达·洛芙莱斯女神像的密码宝石不见了！听说嫌疑人就在古代遗址的古代部落原住民中……小民、莉莉和贝夫能否顺利完成任务呢？

写给家长的话

本书分为多个活动场所，孩子们可以在其中学习和编程有关的概念。活动场所的每个环节都包含让孩子们学习一种或多种编程概念的活动。此外，为避免家长指导困难，我们在每个环节的末尾都设立了“计算思维能力 UP”栏目。

任务是什么？（见第44页）

这是以故事为基础，找出问题并思考解决方案的环节。请让孩子独立找到解决问题的方法。

寻找最短路径（见第48页）

观察儿童乐园的地图，找到从起点到终点的所有路径。通过该活动，可以理解“情况数”的概念。

查找地图中的信息（见第50页）

这是在“寻找路径”过程中找到各种路径，然后从中查找最快到达终点的路线的活动。地图的每个点之间都有一定数量的方框，方框的数量表示距离。请帮助孩子通过方框计数来掌握点与点之间的距离。

整理地图中的数据（见第52页）

该环节就是把上一环节查找到的信息转移到地图上的“抽象化”活动。通过这个过程，大家将学习到迅速掌握信息的方法。除此之外还可以学习与图论相关的专业术语。

哪条路径最短？（见第54页）

这是在观察小民、莉莉和贝夫所选的路径后，通过距离和查找最快路径的环节。在这个过程中，大家将学习到“快速寻路”的原理。小民和莉莉认为经过游乐设施最少的路径就是最短的路径，但结果竟是贝夫所选择的需要经过 4 个游乐设施的路径最短。请告诉孩子们：不要单纯地用眼睛观察地图，而是要通过距离和去查找，距离和最小的路径就是最短的路径。

拜托计算机（见第56页）

这是学习如何向计算机发出快速查找指令的环节。在该环节中使用的是“最短路径算法”。将上一个环节的活动整理成流程图，让孩子们根据该流程图来学习“最短路径算法”。

距离容器（见第58页）

在这一环节中，大家将学习“变量”的概念。变量作为学习快速寻路算法时必须掌握的基本元素，是存储特定输入值的空间。在该环节，变量用“容器”，变量值用“方糖”来进行描述。数一数容器里方糖的数量，将其再与其他容器的方糖数量进行比较，最后找出数量最少的容器。通过该过程，大家将学习到如何快速寻找路径的方法。

没有更短的路径吗？（见第62页）

这是通过学习快速寻路的代表算法——迪杰斯特拉算法，来确认所找到的路径是否是最短路径的环节。如果孩子觉得有困难，这个环节建议家长带着他们一起学习，一起阅读内容并确认贝夫的路线是否是最短的。

我们身边的寻路算法（见第68页）

我们实际生活中使用的快速寻路算法的案例。

第44页示例 （谁）小民、莉莉、贝夫；（什么时候）在超级计算机出故障时；（在哪里）在儿童乐园；（为什么）为了让游乐设施重新启动；（怎么办）要比罗伊和罗亚更快到达过山车，救出被困的博士；（做什么）博士需要修理好出故障的超级计算机。

第51页参考答案 3，7，10。 第55页参考答案 11，17，19。

图书在版编目（CIP）数据

程序王国的冒险. 02，启动儿童乐园的超级计算机 /（韩）柳京善著；邓淑珏译 . —长沙：
湖南科学技术出版社，2024.4
ISBN 978-7-5710-2085-9

Ⅰ . ①程…　Ⅱ . ①柳… ②邓…　Ⅲ . ①程序设计—少儿读物　Ⅳ . ① TP311.1-49

中国国家版本馆 CIP 数据核字（2023）第 040563 号

HENGXU WANGGUO DE MAOXIAN 02 QIDONG ERTONG LEYUAN DE CHAOJI JISUANJI
程序王国的冒险 02 启动儿童乐园的超级计算机

者：［韩］柳京善
者：［韩］金美善
者：邓淑珏
版 人：潘晓山
任编辑：杨　旻　李　霞
销编辑：周　洋
面设计：李　庄
版发行：湖南科学技术出版社
址：长沙市芙蓉中路一段 416 号泊富国际金融中心
址：http://www.hnstp.com
南科学技术出版社天猫旗舰店网址：
http://hnkjcbs.tmall.com
购联系：本社直销科 0731-84375808

印　　刷：长沙市雅高彩印有限公司
（印装质量问题请直接与本厂联系）
厂　　址：长沙市开福区中青路1255号
邮　　编：410153
版　　次：2024 年 4 月第 1 版
印　　次：2024 年 4 月第 1 次印刷
开　　本：880mm × 1230mm 1/16
印　　张：5
字　　数：78 千字
书　　号：ISBN 978-7-5710-2085-9
定　　价：48.00 元